D1479864

L'HOMÉOPATHIE

L'HOMÉOPATHIE

DES REMÈDES SIMPLES POUR
UNE SANTÉ NATURELLE

ROBIN HAYFIELD

Traduction GISÈLE PIERSON

Ce livre appartient à Jenny Gallant

MANISE

Édition originale 1998 au Royaume-Uni
par Lorenz Books sous le titre *Homeopathy*

Éditrice : Joanna Lorenz
Responsable du projet : Helen Sudell
Maquettiste : Bobbie Colgate Stone
Photographe : John Freeman
Styliste : Fanny Ward
Mannequins : Andrea Newland, Stephen Sillett, Mary Scott,
Dominic Scott, Stephen Bartholomew

Traduction : Gisèle Pierson

ISBN 2-84198-124-X

Dépôt légal : mai 1999

Imprimé à Singapour

Sommaire

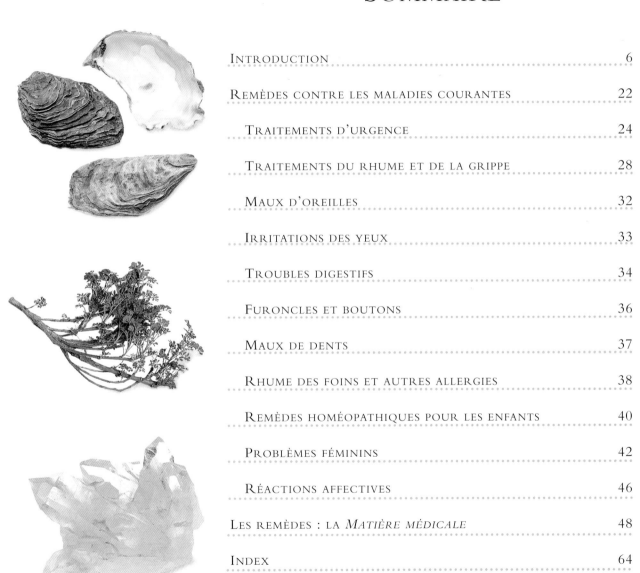

INTRODUCTION

LE NOM « HOMÉOPATHIE » fut établi par Samuel Hahnemann, à partir de deux noms grecs signifiant « traitement du semblable par le semblable ». Ce principe naturel est connu depuis des milliers d'années mais ce ne fut qu'à la fin du XVIIIᵉ siècle que Hahnemann (1755-1843), médecin et chimiste allemand de génie, établit grâce à de nombreuses études et expériences, les principes mêmes de l'homéopathie moderne. Épouvanté par les pratiques médicales barbares de l'époque, il élabora une méthode de guérison scientifique et sans danger. Sa théorie de la maladie et sa façon de la traiter par un processus naturel ont très peu changé depuis cette époque.

Selon la « loi de similitude », il existe un parallélisme entre la toxicité d'une substance chez l'homme sain et son pouvoir thérapeutique chez l'homme malade. Si une dose importante provoque des effets néfastes, une dose infime agit inversement, en stimulant l'énergie naturelle du corps, qui se guérit ainsi lui-même.

L'exemple suivant illustre cette théorie. Au XIXᵉ siècle, les femmes allemandes se servaient couramment de la valériane comme stimulant. De nombreux abus finirent par causer des ravages sur leur système nerveux. Et pourtant, la valériane employée à faible dose relaxe le système nerveux, et grâce à son pouvoir calmant, devient l'un des principaux remèdes homéopathiques contre l'insomnie.

Les doses utilisées en homéopathie sont si minimes qu'elles ne peuvent avoir d'action directe sur le corps. Pour Hahnemann, cette action était dynamique, le principe actif du remède stimulant les réactions immunitaires naturelles du corps pour en restaurer l'harmonie et lui rendre sa santé primitive.

CI-DESSUS – Samuel Hahnemann (1755-1843) fut le premier homéopathe.

PAGE DE DROITE – Les remèdes homéopathiques sont obtenus à partir de nombreux composants.

Comment agit l'homéopathie ?

L'homéopathie n'est pas seulement une médecine énergétique, elle est aussi holistique (elle considère le corps comme un tout). Pour l'homéopathe, le corps représente beaucoup plus que la somme de ses différentes parties et le traitement doit concerner la personne dans son entier. L'esprit, le psychisme et tous les organes sont étroitement liés et il serait illogique de ne s'occuper que d'une seule partie du corps.

L'énergie intérieure

Les mécanismes de cette inter-dépendance sont presque impossibles à comprendre dans le détail. Heureusement, cela n'est pas une nécessité pour les homéopathes qui en admettent le principe. Les éléments constitutifs du corps, physiques et mentaux, sont complexes en eux-mêmes mais ils abritent un système d'autorégulation, qui fonctionne presque toujours correctement. La maladie nous permet de vérifier son action. Le corps ressent par exemple un malaise général : celui-ci disparaît peu à peu, avec ou sans médicaments, et le corps s'autoguérit, même s'il est parfois nécessaire de l'aider, quand les ressources naturelles d'énergie sont épuisées ou perturbées.

Le processus de guérison

Le processus de guérison peut se comparer à la réparation d'une voiture. Les véhicules actuels sont fiables et si vous les entretenez correctement, ils causent peu de problèmes. Mais si un soir, vous oubliez d'éteindre les phares, le matin suivant la batterie est à plat et la voiture immobilisée. Le seul moyen de la remettre en route, le seul « remède », est d'effectuer un transfert d'énergie, en la reliant à la batterie d'une autre voiture. L'homéopathie agit un peu de la même façon. Les sources d'énergie sont les remèdes, prescrits en concordance avec la loi de similitude, pour que le corps se remette d'aplomb.

Une thérapie sans danger

La médecine traditionnelle fait un tel usage de médicaments que de nombreux malades préfèrent se tourner vers l'homéopathie. Les médicaments peuvent être toxiques et les effets secondaires parfois gênants ; même si ces derniers ne sont pas visibles, les effets à long terme, liés à un usage excessif, sont peu connus. La médecine moderne soulage et atténue les symptômes, elle « gère » la maladie mais comme elle ne s'adresse qu'aux symptômes et rarement à la maladie elle-même, les résultats peuvent

Ci-dessus – Quand une personne est affaiblie par la maladie, l'homéopathie peut l'aider à la remettre sur pied.

parfois s'avérer aléatoires. N'étant pas holistique, elle devient une médecine de spécialistes.

CI-DESSUS – Selon les pays, les remèdes se présentent sous forme de comprimés, granules, gouttes, etc.

UNE MÉDECINE HOLISTIQUE

L'homéopathie est sans danger. Le but à atteindre n'est pas la disparition des symptômes qui sont davantage perçus comme des signaux de détresse. Le bon remède fera disparaître la cause du problème et par conséquent les symptômes eux-mêmes.

L'homéopathie prend en compte la nature de la personne. C'est une médecine avant tout individuelle qui, pour une même maladie, traitera différemment deux malades selon leur typologie.

COMMENT UTILISER L'HOMÉOPATHIE ?

Si vous êtes atteint d'une maladie chronique ou à long terme, vous devez consulter un médecin homéopathe professionnel dont le savoir et l'expérience sont irremplaçables. Cependant, vous pouvez remédier vous-même aux petits ennuis de santé de la vie courante, avec quelques remèdes homéopathiques et l'aide de ce livre.

CI-DESSUS – Médecine individuelle, l'homéopathie traite la même maladie avec des remèdes différents, selon les malades.

CI-DESSUS – Pour des problèmes chroniques, il est préférable de consulter un homéopathe qualifié.

Nature de la maladie : pourquoi devenons-nous malades ?

Nous devenons malades quand notre énergie est épuisée ou perturbée.
Il n'est pas nécessaire de connaître le nom de la maladie pour la guérir.
Pour les homéopathes, la guérison dépend de l'analyse des symptômes,
le diagnostic concernant essentiellement le malade et non la maladie.

Les symptômes

Les symptômes, excepté pour les situations critiques, et même s'ils sont douloureux et pénibles, ne sont pas le problème essentiel. Ils ne sont que le reflet des réactions du système de défense de l'organisme.

Ainsi, la diarrhée ou les vomissements sont nécessaires pour que le corps se débarrasse rapidement d'un aliment indésirable. La douleur peut être le feu rouge qui vous ordonne de vous arrêter ou encore un signal de détresse.

Traiter l'intégralité de la personne

Pour obtenir une guérison, il est nécessaire de considérer l'intégralité de la personne et de bien la comprendre. Nous sommes tous des individus avec nos propres faiblesses et prédispositions.

Certaines personnes sont très robustes et rarement malades, d'autres, particulièrement sensibles, sont obligées de s'aliter au moindre refroidissement ou après quelque contrariété ; d'autres encore ont les poumons fragiles et le moindre rhume se transforme en bronchite. Certains verront leur système digestif se dérégler dès qu'ils changent de régime alimentaire.

L'homéopathie admet ces différences et permet d'ajuster le traitement en conséquence. Le médecin homéopathe prescrira en fonction de la nature de chaque individu, pour essayer de renforcer à la fois les organes déficients et le système tout entier.

Ci-dessus – Quand nous sommes malades, l'équilibre du corps est rompu. Un traitement est nécessaire pour le rétablir.

LES CAUSES DES MALADIES

Elles sont nombreuses. Certaines sont évidentes, comme une contusion ou un choc entraînés par un accident. Une personne épuisée n'échappera probablement pas à une épidémie de grippe.

Une mauvaise alimentation est une autre cause sous-jacente. Dans les pays développés, la plupart des gens mangent à leur faim mais à notre époque de culture intensive et de nourriture industrielle, la qualité laisse à désirer, vitamines et minéraux essentiels en étant souvent absents.

Enfin, la maladie peut avoir une origine psychique. Le stress est l'une des principales causes d'un déséquilibre

CI-DESSUS – Le stress mental et émotionnel peut causer à la longue des problèmes physiques.

intérieur qui se manifestera par des désordres physiques. Le chagrin, la peur, les soucis, la dépression et la solitude sont incompatibles avec une bonne santé.

L'homéopathie tient compte de tous ces facteurs et essaie, si possible, de les atténuer et de renforcer les défenses du malade pour qu'il puisse mieux les affronter.

CI-DESSUS – Une bonne alimentation est essentielle. Tous les fruits sont excellents pour la santé.

FORCE VITALE
ET SYSTÈME IMMUNITAIRE

Nous sommes soumis à tant d'agressions, externes et internes, que nous devrions être constamment malades, ce qui est d'ailleurs le cas pour certains individus. Bien que de nombreuses infections aiguës aient cessé d'être un problème crucial, elles ont été remplacées par les maladies chroniques modernes. Jamais on n'a constaté autant de cancers, problèmes cardiaques, allergies, asthmes ou désordres digestifs. Notre système immunitaire est constamment sollicité pour résoudre ces problèmes.

CI-DESSUS – Quand la force vitale est équilibrée, notre énergie est sans limite !

LE SYSTÈME IMMUNITAIRE

On ne peut sous-estimer l'incroyable faculté d'adaptation du système immunitaire qui paraît déployer des efforts considérables pour nous garder en bonne santé malgré l'adversité. Hahnemann appelait cette faculté la «force vitale» et la décrivait comme «la force spirituelle qui possède la souveraineté suprême». On la compare parfois à un «conducteur invisible», régissant le mécanisme d'équilibre du système immunitaire dont le but est de nous garder en bonne santé.

LA FORCE VITALE EN ACTION

La plupart du temps, nous n'avons pas conscience de cette autorégulation, celle-ci étant automatique et préprogrammée par héritage génétique. Nous pouvons cependant observer son mécanisme au cours d'une affection aiguë (qui apparaît soudainement) comme la fièvre ou la toux. Nous ne réalisons pas toujours que la fièvre est nécessaire pour tuer les microbes et que la toux empêche l'accumulation de mucus dans les poumons.

Si la force vitale ne peut contribuer au processus de guérison, la maladie chronique (persistante et de longue

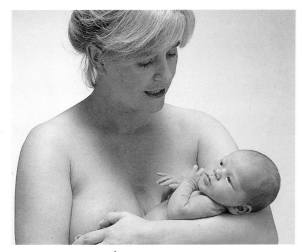

CI-DESSUS – *À notre naissance, nous possédons*
tous une force vitale qui conditionne notre santé.

durée) risque de s'installer, et dans ce cas, une aide extérieure sera indispensable.

TABLEAU SYMPTOMATIQUE CLINIQUE
En essayant de venir à bout d'un désordre, la force vitale provoque divers symptômes. Ces symptômes reflètent non seulement l'image de ce qui se passe à l'intérieur mais peuvent aussi indiquer ce qu'il faut apporter comme remède ou énergie extérieurs.

S'il est vrai que l'homéopathie traite la personne plutôt que les symptômes, ces derniers sont cependant d'un intérêt considérable. Car seule une observation scrupuleuse de l'ensemble des symptômes nous permettra de découvrir quel sera le remède efficace. Pour les maladies aiguës (ponctuelles), qui sont le sujet de ce livre, la force vitale finira par triompher, avec le temps. Mais si nous l'aidons en recherchant ce qui lui manque,

par l'étude des symptômes et en donnant au corps une «dose d'énergie» grâce au remède approprié, le processus de guérison sera considérablement accéléré.

Par exemple, deux enfants d'une même famille sont frappés par la grippe au cours d'une épidémie. Le premier l'attrape très soudainement, en une nuit. Il présente une fièvre élevée, son visage est rouge et son corps brûlant. Les symptômes du second enfant se développent très lentement, sur plusieurs jours. Sa fièvre est beaucoup moins élevée mais il tremble et ses muscles sont douloureux. Il s'agit pourtant de la même grippe mais la force vitale a produit des symptômes totalement différents chez les deux enfants. Chaque enfant doit donc recevoir un traitement distinct. L'homéopathe donnera Belladona au premier enfant et Gelsemium au second.

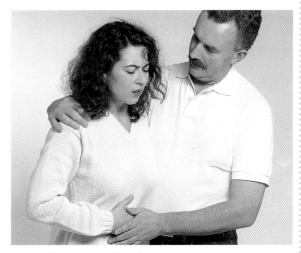

CI-DESSUS – *Tous les symptômes ont un sens.*
La douleur est le signal d'un désordre de l'organisme.

Les remèdes et leurs origines

Les remèdes homéopathiques proviennent de sources variées. La plupart sont préparés à partir de plantes mais de nombreux minéraux sont également utilisés et quelques remèdes sont obtenus avec du venin de serpents et d'insectes, et autres substances toxiques. Il n'y a pas lieu de s'alarmer de cette provenance, les remèdes homéopathiques étant si dilués qu'ils ne présentent aucun danger.

La fabrication des remèdes

La loi de similitude montre que les poisons les plus puissants peuvent devenir des remèdes tout aussi puissants. Hahnemann découvrit et employa une centaine de remèdes. Il en existe aujourd'hui environ 2 000 mais la plupart des homéopathes n'en utilisent qu'une petite partie.

Transformer une substance en remède pour en maîtriser son énergie est un processus compliqué, mené à bien le plus souvent dans les laboratoires homéopathiques. Le procédé lui-même comporte deux phases principales, la dilution et la succussion (secousses vigoureuses).

Ci-dessus – En homéopathie, tous les symptômes sont pris en compte pour déterminer le remède approprié.

Ci-contre – Les granules doivent être conservés à l'abri de la lumière.

Quand vous achetez un remède homéopathique, vous remarquez un chiffre (qui peut aller de 1 à 30) accolé au nom et suivi des lettres CH. Le chiffre représente le nombre de dilutions, 1 étant la première centésimale hahnemannienne ou 1 CH.

Préparation des remèdes homéopathiques

Le remède est obtenu en diluant une partie d'une teinture-mère de la substance originale, dans 99 parties en volume du solvant, généralement de l'alcool. La dilution obtenue est au centième, c'est la première centésimale hahnemannienne ou 1 CH. L'échelle hahnemannienne va ainsi de 1 à 30, ce dernier chiffre indiquant la trentième dilution, la dilution obtenue étant toujours au centième. À partir de la neuvième dilution, aucune molécule de la substance originale n'est décelable. Et pourtant plus la dilution est grande, plus le remède agit. Le paradoxe est troublant mais il ne faut pas oublier que l'homéopathie est une médecine de l'énergie et non une médecine purement physique.

Entre chaque dilution le remède est vigoureusement secoué, au moins cent fois. La succussion permet, semble-t-il, de conférer aux dilutions des énergies considérables, essentielles à la valeur thérapeutique du remède, phéno-

LES SELS MINÉRAUX

Au XIXᵉ siècle, le médecin allemand Wilhelm Schussler identifia dans les tissus douze sels minéraux indispensables à la santé. Selon sa théorie, de nombreuses maladies sont associées à une carence de l'une ou plusieurs de ces substances mais elles peuvent être guéries par l'apport de doses infinitésimales de sels minéraux, seuls ou associés.

mène appelé «dynamisation». La dilution ira ensuite imprégner des granules ou globules à base de sucre de canne ou formés de saccharose pur. Le remède peut également se présenter sous forme de liquide, de suppositoire, de poudre ou de pommade.

Ci-dessus – La dynamisation est réalisée par un processus de dilution et de succussion (en secouant vigoureusement le produit).

Ci-dessus – La succussion était traditionnellement réalisée en secouant le tube et en le frappant contre une Bible reliée en cuir.

Expérimentation et symptômes

Presque tous les remèdes homéopathiques ont été testés ou vérifiés, bien que le médecin apprenne constamment à mieux les connaître à travers son expérience clinique. Le remède est testé sur un groupe de personnes en bonne santé, pendant un certain temps, jusqu'à l'apparition de symptômes. Ni le directeur du test, ni le groupe ne connaissent le nom du remède testé. L'expérimentation est menée sur des bases scientifiques. Les symptômes développés par les participants sont répertoriés et classifiés jusqu'à ce qu'un profil symptomatique s'en dégage. Nous savons alors ce que guérit le remède.

La *Matière médicale*

Une fois testés, les remèdes seront régulièrement employés. Parmi les remèdes originaux de Hahnemann, une centaine sont couramment utilisés aujourd'hui. Ces remèdes sont illustrés dans un ouvrage appelé la *Matière médicale* car aucun homéopathe ne pourrait en mémoriser un tel nombre avec les symptômes correspondants. Ils sont également consignés dans un autre livre détaillé, *Le Répertoire homéopathique,* qui est en fait un index du précédent. Ces deux ouvrages recouvrent presque tous les symptômes possibles.

Ci-contre – En homéopathie, l'examen physique est avant tout oculaire : des yeux pétillants sont un signe de bonne santé.

Choix du remède approprié

L'homéopathe, avec ses connaissances et la consultation de la *Matière médicale,* a tous les atouts pour associer les symptômes du malade avec les effets d'un remède. Ceci s'appelle trouver le *similimum*.

Associer symptômes du malade et effets du remède

Trouver le remède approprié est aussi difficile que réussir un mariage parfait. Si le remède correspond aux symptômes, la santé du patient va s'améliorer de façon certaine. Quand celui-ci se sentira beaucoup mieux, l'homéopathe saura que le processus naturel de guérison a été stimulé avec succès, même si certains symptômes persistent, la guérison totale n'étant qu'une question de temps.

Le médecin est comme un détective à la recherche d'indices. En dehors des symptômes généraux évidents, comme la fièvre, les maux de tête ou la toux, vous devez noter ce qu'on appelle les «modalités», c'est-à-dire des circonstances qui font apparaître ou disparaître, améliorent ou aggravent un symptôme : chaleur ou froid, position assise ou couchée, etc. Notez si la personne est assoiffée ou transpire, si sa langue est chargée et l'état de son haleine. Quelle est la nature de la douleur : localisée, cuisante, piquante, sourde, semblable à un coup de couteau, etc.

Les symptômes ont-ils une cause évidente ? Apparaissent-ils après un choc émotionnel ou après une exposition prolongée à un vent froid ? Surviennent-ils subitement au milieu de la nuit ou ont-ils évolué peu à peu, pendant plusieurs jours ?

Il est également très important de noter l'état d'esprit du patient. Par exemple, les remèdes de l'individu irritable qui veut qu'on le laisse tranquille ne seront pas les mêmes que ceux de la personne qui cherche à être réconfortée et se laisse facilement consoler.

CI-DESSUS – *Les membres d'une même famille peuvent réagir différemment à la maladie.*

17

UTILISER LES REMÈDES

Il est possible de traiter soi-même de nombreux petits problèmes avec une pharmacie familiale de base. Cependant, pour des maladies chroniques plus sérieuses, ou si vous vous sentez vraiment mal ou inquiet, en particulier quand la maladie concerne de jeunes enfants ou des personnes âgées, adressez-vous à votre médecin homéopathe.

LE MÉDECIN HOMÉOPATHE

Les médecins homéopathes sont aujourd'hui nombreux et obtiennent souvent de bons résultats dans les maladies persistantes et chroniques. L'homéopathie est enseignée dans certaines facultés de médecine et dans des cours privés.

CI-DESSUS – Il est parfois difficile de traiter de jeunes enfants mais l'homéopathie est généralement très efficace et peut être utilisée dès la naissance.

LA PHARMACIE HOMÉOPATHIQUE

L'objectif est de permettre au corps de s'aider lui-même. Parfois vous ne pouvez pas faire grand-chose : il faudra plusieurs jours à un rhume bien établi pour guérir, que vous interveniez ou non. Dans d'autres cas, plus vite vous agissez, meilleur sera le résultat : ainsi, si vous utilisez Arnica (sous forme de granules ou en pommade) après une chute suivie d'une contusion, le soulagement sera immédiat.

Vous pouvez souvent diminuer la durée ou l'intensité de la maladie, fièvre, infection suppurante, douleur, indigestion et autres. De plus, il est parfois possible de la stopper ou de la guérir très rapidement.

Lorsque vous constatez une amélioration, la force vitale n'a plus besoin d'être aidée et vous pouvez arrêter le remède. Il ne vous fera aucun mal si vous le continuez mais il n'est pas utile de donner plus d'énergie que nécessaire. En homéopathie, «moins, c'est mieux».

LA PRISE DU REMÈDE

Les dilutions à 6 CH et 30 CH sont les plus adaptées à l'usage familial. De façon générale, 6 CH se prendra trois ou quatre fois par jour, 30 CH une ou deux fois par jour jusqu'à l'amélioration des symptômes, à raison de trois granules à chaque prise, pour enfants ou adultes.

Parfois les symptômes changent après la prise d'un remède et un tableau clinique différent apparaît. Il vous faudra alors trouver un nouveau médicament. Si l'état s'améliore, observez et attendez. Consultez un médecin dans le cas contraire.

CI-DESSUS – Les granules se posent directement sur la langue et se dissolvent en quelques secondes.

Lorsque la situation est sérieuse, fièvre élevée ou suites d'accident, vous pouvez donner le remède approprié toutes les demi-heures, si nécessaire. Vous ne risquez aucun surdosage et si vous n'obtenez pas d'amélioration dans la nuit ou la journée, envisagez un second remède. N'ayez pas peur de donner un « mauvais » remède, le seul inconvénient de ce dernier étant son manque d'efficacité.

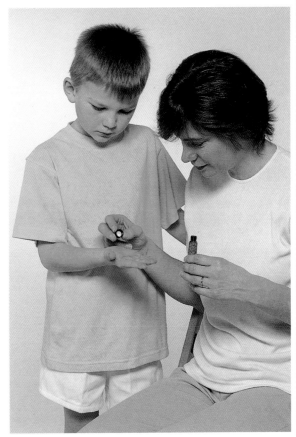

CI-DESSUS – La prise diffère selon les pays. En France, les granules sont mis dans le bouchon du tube et déposés sur la langue, sans les toucher avec les doigts.

Pharmacie homéopathique de base

Il est conseillé de constituer une trousse homéopathique de base permettant d'affronter de nombreuses urgences. Presque toutes les pharmacies vendent aujourd'hui des remèdes homéopathiques mais elles ne sont pas toujours proches de votre domicile et les problèmes surviennent aussi le dimanche !

La trousse homéopathique

Vous trouverez dans les pharmacies spécialisées des boîtes de rangement spécialement étudiées pour les tubes de granules. Optez pour la dimension qui vous convient.

Ce livre décrit 42 remèdes homéopathiques. Certains d'entre eux ne vous serviront peut-être jamais, c'est pourquoi il vaut mieux commencer avec la moitié environ, les remèdes indiqués couvrant la plupart des situations courantes. Vous pourrez ensuite en ajouter d'autres lorsque vous serez plus expérimenté.

À GAUCHE – La plupart des pharmacies homéopathiques vendent des boîtes de rangement pour pharmacie familiale.

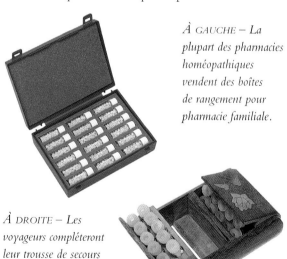

À DROITE – Les voyageurs compléteront leur trousse de secours par quelques remèdes différents.

CI-DESSUS – La crème au calendula est le meilleur remède contre les plaies et les ecchymoses.

Votre trousse de premiers soins homéopathiques
doit inclure :

CRÈME À L'ARNICA – pour les contusions
et les ecchymoses

CRÈME AU CALENDULA – pour les plaies
et les coupures

REMÈDE DE SECOURS – dans tous les cas de crises
soudaines

ECHINACEA TEINTURE-MÈRE – pour le système
immunitaire

Plus ces tubes de granules en 5 CH :

ACONITUM NAPELLUS – fièvre, toux et refroidissement

APIS – piqûres d'insectes

ARNICA – traumatismes, fatigue musculaire

ARSENICUM – problèmes digestifs, intoxication
alimentaire

BELLADONA – états inflammatoires, maux de tête

BRYONIA ALBA – toux sèche, états inflammatoires

CHAMOMILLA – poussée dentaire chez le bébé, coliques

FERRUM PHOS – refroidissements, anémie

GELSEMIUM – grippe, anxiété

HEPAR SULFUR – angine, plaie infectée

HYPERICUM – plaies, blessures

IGNATIA – angoisse, choc émotionnel

LEDUM – piqûres diverses, blessure ouverte

LYCOPODIUM – dépression nerveuse, problèmes
digestifs

MERCURIUS – état infectieux

NUX VOMICA – indigestion, nausée

PHOSPHORUS – saignement de nez, hépatite

PULSATILLA – otite, état infectieux, problème oculaire

RHUS TOX – entorse, tendinite, eczéma

RUTA – traumatismes des ligaments et des os

LE REMÈDE DE SECOURS

Bien qu'il ne s'agisse pas vraiment d'un traitement homéopathique, le remède de secours est l'un des élixirs floraux du Dr Edward Bach (boutiques diététiques). Ces remèdes à base d'essences florales traitent divers états émotionnels, indépendamment du désordre physique. Le remède de secours est à conseiller dans les situations exceptionnelles de quelque nature qu'elles soient : choc physique, émotionnel ou psychique. C'est un composé à base de cinq fleurs : hélianthème *(Cistus)*, clématite *(Clematis vitalba)*, prunus *(Prunus cerasifera)*, impatiente, dame-d'onze-heures *(Ornithogalum umbellatum)*.

Impatiente

Prunus

Clématite

Hélianthème

Dame-d'onze-heures

Remèdes contre les maladies courantes

DE NOMBREUX PROBLÈMES courants peuvent être soignés avec l'homéopathie. Vous trouverez dans les pages suivantes un certain nombre de médicaments parmi les plus efficaces. Lisez la description du remède avec attention et choisissez celui qui vous paraît le plus approprié aux symptômes existants. Comparez ensuite avec la description plus détaillée se trouvant dans le chapitre, la «Matière médicale» *(voir pages 48-63)*.

Comment prendre les remèdes ?

Lorsque vous avez choisi le remède, versez trois granules dans le bouchon du tube. Si d'autres granules tombent dans le bouchon, remettez-les dans le tube sans les toucher avec les doigts. Posez les granules sur la langue et veillez à ce que ce soit au moins 10 minutes avant ou après avoir mangé, bu ou vous être brossé les dents. Laissez les granules fondre sans les croquer. Pour un bébé, il est préférable de les dissoudre dans un peu d'eau pure.

Echinacea

Echinacea angustifolia est une herbe originaire d'Amérique. C'est un tonique général pour le système immunitaire, particulièrement efficace lorsque vous vous sentez fatigué ou «à plat».

CI-DESSUS – De l'attention et un gros câlin font parfois des miracles.

PAGE DE DROITE – L'homéopathie est une science précise.

TRAITEMENTS D'URGENCE

Les remèdes homéopathiques peuvent être utilisés en premier secours dans de nombreuses situations, mais les blessures graves doivent toujours recevoir les soins d'un professionnel. Si vous êtes inquiet, commencez par appeler les secours et en les attendant, donnez le remède approprié.

TRAUMATISMES

Le tout premier remède après un traumatisme ou un accident est l'Arnica. Sur les ecchymoses, si la peau n'est pas entamée, appliquez de la crème à l'arnica. Donnez également des granules d'Arnica aussi souvent que nécessaire, jusqu'à ce que la douleur s'atténue. L'Arnica est également remarquable

en cas de choc. Si la personne est très abattue, écrasez les granules sans les toucher avec les doigts et mettez la poudre directement sur ses lèvres.

Quand le choc est sérieux ou en cas de réelle urgence, pensez au remède de secours, qui peut être utilisé seul ou avec Arnica en cas de traumatisme physique. Placez quelques gouttes de ce remède sur les lèvres ou sur la langue, aussi souvent que nécessaire.

S'il existe des douleurs aiguës dans les bras ou les jambes, essayez Hypericum, remède très utile pour les parties sensibles, orteils, doigts, lèvres et oreilles.

Quand les articulations ou les os sont touchés, Ruta est souvent plus efficace qu'Arnica, qui convient mieux aux tissus (peau, muscles).

CI-DESSUS – Après un traumatisme ou une blessure, pensez tout de suite à l'Arnica.

CI-DESSUS – La rue, composante du remède Ruta.

COUPURES, PLAIES ET BLESSURES OUVERTES

Vous devez tout d'abord nettoyer la plaie, doucement mais soigneusement, pour en retirer toute salissure. Si la blessure est très profonde, il faudra faire sans doute quelques points de suture et vous devrez appeler le médecin. Quand la plaie est propre, appliquez doucement de la crème au calendula. Si nécessaire, protégez la plaie par un pansement.

BLESSURES PAR PIQÛRE OU MORSURE

Ce sont les piqûres d'insectes, les morsures d'animaux ou les blessures causées par des clous, des aiguilles ou des instruments pointus comme une fourche à bêcher.

Si la blessure enfle et devient violette tout en restant froide, soulagez la douleur par des compresses froides, Ledum palustre étant le meilleur remède. Si la douleur est lancinante et monte dans le membre atteint en suivant le trajet des nerfs, Hypericum est conseillé.

ENTORSES ET DOULEURS MUSCULAIRES

Pour les douleurs musculaires ou les courbatures, déclenchées par un exercice physique excessif – aérobic ou longue randonnée – ou après avoir soulevé un poids trop lourd, Arnica est presque toujours efficace. Lorsque les articulations sont touchées, après une chute violente par exemple, utilisez Ruta.

Dans le cas de foulure ou d'entorse du poignet ou de la cheville, Rhus tox est efficace surtout quand la douleur s'accentue au premier mouvement mais s'améliore par un mouvement continu.

Lorsque le moindre mouvement est extrêmement douloureux mais que la douleur est soulagée par une forte pression, pensez à Bryonia alba.

CI-DESSUS – Rhus tox est un très bon remède contre les douleurs musculaires et les entorses des chevilles ou poignets.

FRACTURES

Lorsque la fracture a été soignée, prenez Symphitum tous les jours, soir et matin, pendant au moins trois semaines, pour soulager la douleur et accélérer le processus de consolidation de l'os.

La consoude est la substance de base de Symphitum.

25

BRÛLURES

Les brûlures graves requièrent des soins médicaux d'urgence, n'attendez pas, surtout s'il s'agit d'enfants ou de bébés.

Pour des brûlures légères, appliquez aussitôt la crème au calendula qui apaise la douleur. Si la douleur subsiste ou si la brûlure est plus sérieuse, prenez trois granules de Cantharis, toutes les deux heures, jusqu'à disparition des symptômes. S'il y a eu choc, ajoutez Arnica et/ou le remède de secours.

CI-DESSUS – Le millepertuis, substance de base du remède Hypericum.

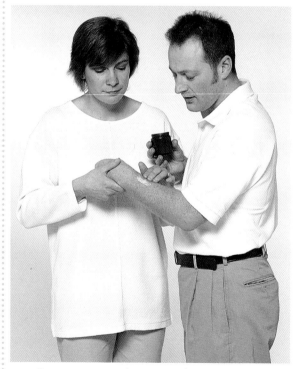

CI-DESSUS – Pour les morsures formant ecchymose, la crème à l'arnica est très efficace.

MORSURES ET PIQÛRES

Pour une blessure légère, appliquez de la crème au calendula. Si elle s'accompagne d'un hématome, utilisez Arnica, en crème ou en granules. Si la blessure enfle beaucoup et devient rouge, prenez Apis.

Pour une blessure des parties sensibles, comme les doigts, Hypericum est conseillé surtout si la douleur est lancinante. Ledum est préférable si la partie blessée est gonflée et froide au toucher mais soulagée par des compresses froides.

MAL DES TRANSPORTS

Si vous souffrez du mal de mer ou si vos enfants sont malades en voiture ou en avion, Cocculus atténuera les symptômes.

PEUR DE L'AVION

Si la peur est incontrôlée, prenez Aconitum napellus et/ou le remède de secours, avant de partir pour l'aéro-port et aussi souvent que nécessaire pendant le vol. Si l'anxiété vous fait trembler, essayez Gelsemium.

S'il s'agit plutôt de claustrophobie (peur d'être en-fermé dans un petit espace), Argentum nit sera très utile.

VISITE CHEZ LE MÉDECIN OU LE DENTISTE

Si vous devez subir une intervention chirurgicale ou dentaire, vous êtes sûr de ne pas vous tromper avec Arnica. Prenez trois granules juste avant l'intervention, puis trois fois par jour, aussi longtemps que nécessaire.

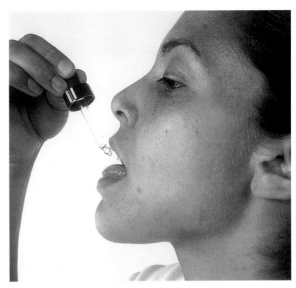

CI-DESSUS — Le remède de secours peut s'avérer très efficace dans les états d'anxiété ou de choc émotionnel.

Pour les plaies qui sont longues à cicatriser ou qui s'infectent, appliquez de la crème au calendula. Si les nerfs sont atteints, ce qui se traduit par des douleurs lan-cinantes sur leur trajet, Hypericum peut soulager.

Pour arrêter les hémorragies postopératoires, en cas d'extraction dentaire par exemple, prenez Phosphorus qui peut être également très utile pour atténuer les suites d'anesthésie. En cas de nausées persistantes, Ipeca est tout à fait adapté.

Pour atténuer l'appréhension d'une intervention, Argentum nit et Gelsemium sont les deux meilleurs remèdes.

La plante médicinale arnica, substance de base du remède homéopathique du même nom.

TRAITEMENTS DU RHUME ET DE LA GRIPPE

La plupart des rhumes, à moins d'être stoppés dès le début, suivent leur évolution normale et guérissent en une semaine environ. La grippe est plus sérieuse mais peut être soulagée par l'homéopathie.

RHUMES ET GRIPPE

Si la grippe apparaît soudainement, souvent la nuit et après un refroidissement, avec une grosse fièvre et de la transpiration, Aconitum napellus est un bon remède. Si les symptômes sont aussi soudains et la température élevée, mais que le malade est rouge, brûlant, avec des maux de tête, Belladona est plus adapté.

CI-DESSUS – Aux premiers signes d'un rhume, essayez Arsenicum, Allium cepa ou Aconitum napellus.

CI-DESSUS – Kali bich est un bon remède contre les sinus bloqués et douloureux, avec écoulement verdâtre.

Pour une grippe qui s'installe plus lentement, accompagnée d'une grande soif, d'un état irritable et du désir d'être seul, Bryonia alba sera très utile.

Le remède le plus employé contre la grippe qui présente courbatures, frissons et faiblesse générale, est probablement Gelsemium. Si vous éprouvez d'intenses douleurs des os, prenez Eupatorium.

Allium cepa ou Arsenicum apportent un soulagement en cas de rhume de cerveau avec éternuements et écoulement nasal irritant. Si les sinus sont également affectés, avec des écoulements de mucus jaune et des bouchons verdâtres, Kali bich est conseillé.

L'oignon rouge est le composant du remède Allium cepa.

Pour redonner du tonus, pendant et après la grippe, quand les symptômes ne sont pas bien définis et que le patient ressent un malaise général, essayez Ferrum phos.

TOUX, FAUX CROUP

Aconitum napellus soulagera les toux sèches, irritantes, violentes, qui apparaissent soudainement et s'aggravent la nuit. Pour les toux sèches, douloureuses, incessantes qui s'atténuent en tenant la poitrine serrée et en buvant de l'eau froide, pensez à Bryonia alba.

En cas de toux spasmodiques, sèches, caverneuses qui finissent parfois par des haut-le-cœur et des vomissements, prenez Drosera. Les toux douloureuses, semblables à un aboiement, avec expectoration de mucus verdâtre, peuvent être soulagées par Hepar sulfur. Essayez Spongia pour les toux suffocantes, avec des sifflements, et Antimonium tart en cas de toux grasses sans expectoration.

Le faux croup se caractérise par une toux rauque, sèche, angoissante qui affecte surtout les jeunes enfants.

Les principaux remèdes sont Hepar sulfur, Aconitum napellus et Spongia. Si les symptômes sont difficiles à différencier, essayez-les l'un après l'autre.

Spongia est un remède à base d'éponge naturelle.

CI-DESSUS – Une toux sèche, irritante est souvent soulagée par Bryonia alba.

CI-DESSUS – Il existe de nombreux remèdes contre les angines. Vérifiez d'abord soigneusement les symptômes.

MAUX DE GORGE

Si l'angine commence subitement, souvent pendant la nuit et parfois après un refroidissement, avec une forte fièvre, essayez Aconitum napellus. Si la gorge est très rouge, brûle et présente des douleurs lancinantes, elle peut être soulagée par Belladona.

Si la gorge est peu enflée mais la douleur cuisante, Apis est indiqué. Hepar sulfur sera donné pour une gorge extrêmement douloureuse, comme si une arête de poisson s'y était plantée, avec une grande difficulté à avaler.

Si l'angine est plus douloureuse à gauche et que le malade a beaucoup de mal à avaler les liquides, prenez Lachesis. Lycopodium sera préférable si l'angine est plus douloureuse à droite ou si la douleur alterne de droite à gauche. Les boissons chaudes peuvent soulager.

Pour soigner une angine accompagnée d'une haleine et d'une salive fétides, de sueurs et de soif, essayez Mercurius. Si la gorge est rouge foncé, pensez à Phytolacca.

FIÈVRE

La fièvre, en particulier chez les enfants dont la température s'élève parfois rapidement, peut paraître alarmante,

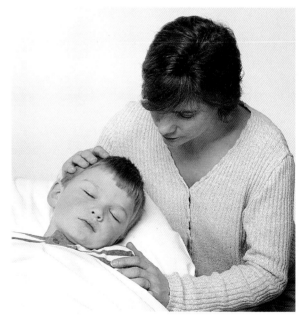

CI-DESSUS – Si l'enfant présente une forte fièvre, Aconitum napellus et Belladona sont les remèdes les plus utiles.

froide, essayez Bryonia alba. Pour une fièvre de type grippal, avec des frissons, des courbatures, un état de faiblesse, prenez Gelsemium. Ferrum phos est conseillé dans les cas de fièvre peu élevée, sans symptômes particuliers.

Pulsatilla est utile contre les fièvres infantiles, avec un enfant très agité, qui s'accroche à vous, pleure et veut être consolé et câliné.

Le remède Hepar sulfur est une préparation à base de fleurs de soufre (Sulfur) et de poudre de coquilles d'huîtres (Calcarea carbonica).

mais il ne faut pas oublier qu'elle constitue une défense naturelle contre les infections.

Les deux principaux remèdes, lorsque la fièvre est élevée et apparaît soudainement, sont Aconitum napellus et Belladona : le premier est réservé au malade qui transpire et a généralement très soif, tandis que le second est indiqué pour celui qui présente une peau sèche, rouge et une douleur lancinante dans la région concernée.

Si la fièvre monte plus lentement, que le malade est irritable, veut être seul, qu'il a soif et boit beaucoup d'eau

CI-DESSUS – Jasmin de Virginie, composant de Gelsemium.

31

MAUX D'OREILLES

Les otites sont courantes chez les jeunes enfants. Elles doivent être traitées rapidement, les infections de l'oreille moyenne pouvant être dangereuses et très douloureuses. Les soins homéopathiques immédiats seront souvent très utiles mais si la douleur persiste ou empire, appelez le médecin.

L'un des remèdes les plus calmants est l'huile Verbascum. Versez quelques gouttes dans une cuillère chauffée et mettez-les dans l'oreille de l'enfant.

Pour une douleur soudaine et violente accompagnée de fièvre et commençant généralement la nuit, essayez Aconitum napellus. Si la fièvre est très soudaine et élevée, si l'oreille élance et paraît très rouge, Belladona est efficace.

Dans le cas d'otites très douloureuses avec un enfant particulièrement irritable, donnez Chamomilla. Pour celles avec un écoulement verdâtre, quand l'enfant a des frissons, donnez Hepar sulfur. Ferrum phos est indiqué si la douleur se développe lentement, sans autres symptômes particuliers. Si la douleur s'étend à la gorge et aux sinus, s'accompagne de sueurs, d'une soif intense et d'une haleine fétide, essayez Mercurius.

Pulsatilla convient aux enfants qui ont trop chaud et se sentent mieux quand vous les tenez dans vos bras. Les maux d'oreilles peuvent apparaître et disparaître sans raison particulière.

CI-DESSUS – *Verbascum*.

CI-CONTRE – *L'huile Verbascum soulage les maux d'oreilles des enfants.*

IRRITATIONS DES YEUX

Le travail sur ordinateur, les polluants, les infections bactériennes et virales peuvent agresser les tissus délicats de l'œil. Le stress et la fatigue vont aggraver ces problèmes en affaiblissant la capacité du système immunitaire à combattre l'infection.

Aconitum napellus est indiqué quand les yeux sont secs et brûlants, parfois après un « coup de froid », et donnent l'impression d'être irrités par du sable. Apis est un bon remède quand les paupières sont gonflées et la douleur apaisée par des compresses froides.

Belladona est indiqué pour des yeux rouges et injectés de sang, sensibles à la lumière, alors qu'Euphrasia est l'un des meilleurs remèdes si l'œil est irrité et pique. Il existe également en gouttes et vous pouvez l'utiliser en collyre ou pour laver l'œil.

L'un des meilleurs remèdes contre les orgelets est Pulsatilla, très utile pour les inflammations avec pus non irritant.

Lorsque l'œil a été blessé par un coup sur le globe oculaire, prenez Symphytum. En général, Arnica est le plus efficace pour atténuer l'ecchymose. Si l'œil est froid et enflé et que des compresses froides soulagent la douleur, Ledum est tout indiqué.

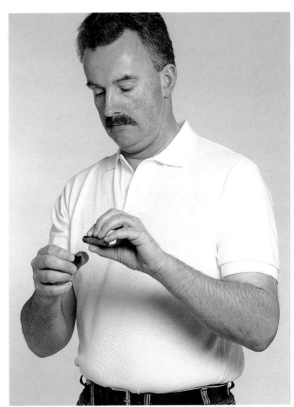

CI-DESSUS – *Aconitum napellus peut soulager certaines affections de l'œil, mais commencez par vérifier les symptômes.*

CI-CONTRE –
La consoude est la
substance de base
de Symphytum.

TROUBLES DIGESTIFS

Douleur, gaz, nausées, vomissements ou diarrhée sont les principaux symptômes des infections gastriques et intestinales. Rappelez-vous que les vomissements et la diarrhée sont un processus naturel par lequel le corps se débarrasse rapidement d'un aliment indésirable et ces symptômes ne doivent être traités que s'ils persistent. La cause en est le plus souvent une intoxication alimentaire ou une simple réaction à une nourriture inhabituelle, en vacances par exemple.

DOULEURS STOMACALES

Le grand remède est Arsenicum. La diarrhée ou les vomissements peuvent s'accompagner de faiblesse extrême, sensations de froid, agitation. Mag phos est un excellent remède contre les crampes abdominales en général, crampes soulagées par la chaleur et en se pliant en deux.

Ipeca est tout indiqué pour les nausées continues qui ne s'apaisent pas par des vomissements. Nux vomica est un bon remède contre les embarras gastriques, lorsque les aliments non digérés pèsent sur l'estomac et que l'on n'arrive pas à vomir.

Morceau d'anhydride arsénieux, composant du remède Arsenicum.

Phosphorus peut être utile pour une forte diarrhée, associée à une sensation de brûlure d'estomac. Vous avez soif d'eau froide mais celle-ci est rejetée dès qu'elle s'est réchauffée dans l'estomac.

CI-DESSUS – Pour une intoxication alimentaire, avec douleur et vomissements ou diarrhée, pensez à Arsenicum.

INDIGESTION

Brûlures d'estomac, gaz, ballonnements et crampes abdominales sont les symptômes de l'indigestion. Ils surviennent généralement après avoir mangé trop ou trop vite, surtout après absorption d'une nourriture excessivement riche et d'alcool.

Le remède le plus utile est Nux vomica. Le système digestif semble bloqué, lourd et ralenti, et vous avez l'impression que tout irait mieux si les aliments non digérés pouvaient être évacués d'une façon ou d'une autre.

Un autre remède utile est Lycopodium. Gaz et ballonnements peuvent être douloureux. Ils se manifestent généralement en fin d'après-midi ou le soir et les sensations douloureuses sont parfois accompagnées d'anxiété. Le remède réussit bien chez les individus dont le système digestif est le point faible.

CI-DESSUS – Lycopodium.

CI-CONTRE – Nux vomica est un bon remède contre l'indigestion, surtout après une soirée bien arrosée !

35

FURONCLES ET BOUTONS

Il arrive qu'un bouton se forme sur la peau, s'enflamme et suppure, souvent à la racine
d'un poil. L'accumulation de pus peut causer une douleur aiguë avant que le furoncle ne mûrisse
et que le bourbillon se forme, à moins que le pus ne soit résorbé par le corps.

Au début, quand le bouton est
rouge, gonflé et la douleur lancinante, Belladona est souvent le
meilleur remède. Plus tard, quand
il commence à s'infecter et que la
douleur augmente en même temps
que le pus, pensez à Hepar sulfur.

Si le furoncle est très long à
mûrir, Silicea peut accélérer le processus. Ce remède est également
utile pour les individus dont la
peau est fragile, souvent sujette aux
furoncles et dont les ongles sont
cassants et friables.

*CI-DESSUS – Le cristal de roche
est à l'origine de Silicea.*

CI-DESSUS – Silicea peut souvent aider les furoncles à mûrir.

MAUX DE DENTS

Rien n'est plus douloureux qu'un mal de dents. Dans la plupart des cas, une visite chez le dentiste s'impose mais en attendant, les remèdes suivants peuvent soulager la douleur.

Si la douleur est soudaine et violente, déclenchée par le froid, Aconitum napellus est souvent très actif. Quand la partie douloureuse est très rouge, avec des battements, essayez Belladona. Dans le cas d'un abcès avec du pus, un goût et une odeur fétides dans la bouche, le meilleur remède est Mercurius. Si vous êtes sujet aux abcès et que vos dents ne sont pas très solides, Silicea devrait les renforcer.

Pour une douleur qui subsiste après une visite chez le dentiste, prenez Arnica ou Hypericum ; accompagnée d'une extrême irritabilité, Chamomilla est indiqué.

Hepar sulfur est efficace pour les états infectieux dont l'irritabilité est un symptôme habituel. Un autre remède du mal de dents avec douleurs lancinantes est Mag phos.

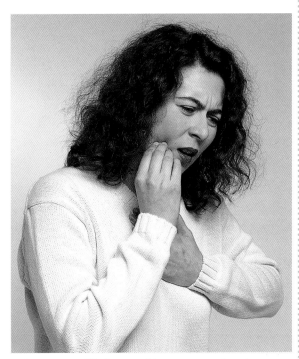

CI-DESSUS – Plusieurs remèdes peuvent soulager les maux de dents, mais une visite chez le dentiste s'impose.

Le millepertuis, composant de Hypericum.

Arnica

RHUME DES FOINS ET AUTRES ALLERGIES

Les allergies ont considérablement augmenté durant les vingt ou trente dernières années.
L'allergie est une sensibilité excessive du corps à des substances qu'il ne peut assimiler facilement.
Le rhume des foins, l'eczéma, la colite, la fatigue répétée et autres maladies chroniques
atteignent presque les proportions d'une épidémie.

CI-DESSUS – Les allergies alimentaires augmentent considérablement. Les produits laitiers et à base de blé semblent être la cause de la plupart des problèmes.

L'HOMÉOPATHIE ET LES MALADIES CHRONIQUES

Personne ne connaît exactement la cause de ces problèmes mais les raisons en sont probablement multiples. La surcharge toxique en fait certainement partie. Le corps ne peut tout simplement plus faire face à l'énorme quantité de produits chimiques et de drogues qu'il n'était pas destiné à absorber. Une mauvaise alimentation en est sans doute une autre raison. Beaucoup d'aliments sont aujourd'hui si industrialisés qu'ils ne contiennent plus assez de minéraux et de vitamines pour permettre au corps de fonctionner correctement.

L'homéopathie est souvent efficace pour rectifier de nombreux déséquilibres et les déficiences qui en résultent. Bien entendu, vous devrez écarter les substances toxiques et surveiller votre régime alimentaire. Le traitement homéopathique de ce type de maladies chroniques

38

est compliqué et dépasse l'objectif de ce livre – c'est pourquoi, n'hésitez pas à consulter un médecin homéopathe.

Vous pouvez cependant essayer de soulager les symptômes du rhume des foins.

LE RHUME DES FOINS

Le rhume des foins est mal nommé ; de nombreuses autres substances peuvent déclencher ces symptômes que vous connaissez bien – yeux et nez qui coulent, démangeaisons et éternuements. Le problème peut durer quelques semaines, quelques mois ou toute l'année, selon la cause.

Euphrasia et Allium cepa sont deux des remèdes les plus efficaces. Si le problème concerne les yeux, surtout lorsque les larmes brûlent, Euphrasia est indiqué. Si l'écoulement nasal est continu et irritant, essayez Allium cepa.

Arsenicum est un autre remède qui peut être utile quand les muqueuses sécrètent constamment un mucus irritant. Ce remède est également indiqué si au rhume des foins, s'ajoute une respiration asthmatique, qui empire souvent la nuit.

CI-DESSUS – *Rien ne remplace un régime alimentaire équilibré.*

CI-DESSUS – *Euphrasia est le meilleur remède du rhume des foins, si les yeux sont affectés.*

CI-DESSUS – *Allium cepa.*

REMÈDES HOMÉOPATHIQUES POUR LES ENFANTS

Les enfants répondent généralement très bien à l'homéopathie. Rien ne peut remplacer la compétence d'un médecin homéopathe pour un traitement de fond destiné à renforcer le système immunitaire, mais votre pharmacie homéopathique vous permettra de remédier à bien des situations critiques.

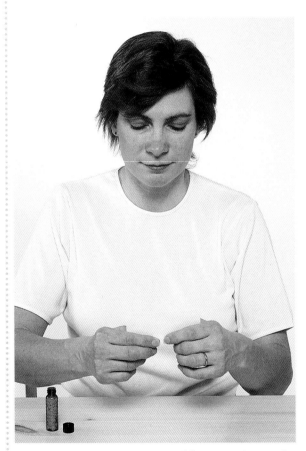

CI-DESSUS – Pour les nourrissons, il faut écraser les granules.

LES ENFANTS ET L'HOMÉOPATHIE

Pour bien démarrer dans la vie, un enfant a besoin d'amour et de sécurité, de lait maternel, d'une alimentation adéquate, d'un minimum de médicaments et de remèdes homéopathiques. Les jeunes enfants présentent souvent des signes inquiétants et subits, comme une fièvre élevée. Généralement, il n'y a pas lieu de s'alarmer si vous avez sous la main les remèdes appropriés. Le dosage est le même que pour l'adulte mais pour les bébés, écrasez les granules.

POUSSÉE DENTAIRE

Chamomilla et Pulsatilla sont les remèdes les plus courants pour aider un jeune enfant à faire ses dents. Chamomilla convient aux enfants très irritables, qui souffrent beaucoup et passent des nuits blanches, et que vous ne pouvez calmer qu'en les prenant dans vos bras et en les promenant. Pour les enfants qui répondent différemment à la douleur, pleurent doucement et se sentent mieux quand vous les câlinez, Pulsatilla est plus indiqué.

FIÈVRE

La température d'un enfant peut s'élever brutalement, tout simplement parce qu'il «brûle» l'infection de façon très efficace. Appelez le médecin si la fièvre dure

CI-DESSUS – Chamomilla ou Pulsatilla soulageront le bébé qui fait ses dents.

plus de 24 heures, surtout si elle s'accompagne d'un violent mal de tête ou d'apathie. Aconitum napellus et Belladona sont les meilleurs remèdes de la fièvre.

FAUX CROUP (SPASME DU LARYNX)

Cette toux rauque et sèche, impressionnante chez les jeunes enfants, est inquiétante mais bénigne. Aconitum napellus est recommandé pour une toux particulièrement violente et soudaine, qui empire la nuit. Spongia est le remède des toux rauques, avec des sifflements. Si la toux est caverneuse avec des expectorations de mucus jaunâtre, épais, et le malade irritable et frissonnant, donnez Hepar sulfur.

COLIQUES

Gaz et crampes sont très douloureux pour un jeune bébé. Il va alors ramener ses jambes contre son ventre pour soulager la douleur. La chaleur et un léger massage peuvent l'atténuer, ainsi que Mag phos.

CI-DESSUS – La camomille est la substance de base de Chamomilla.

CI-DESSUS – La belladone officinale est la substance de base de Belladona.

CI-DESSUS – Mag phos apaise à la fois les douleurs dues aux coliques et la nervosité.

PROBLÈMES FÉMININS

Le système reproducteur et les hormones qui lui sont associées constituent souvent le point faible des femmes. Ce système est aussi délicat et complexe qu'un mouvement d'horlogerie, mais la médecine allopathe moderne le traite malheureusement avec peu d'égards. De nombreux problèmes peuvent être résolus par un traitement homéopathique de fond et une révision du régime alimentaire. L'automédication peut soulager considérablement les états aigus.

ANÉMIE

Faiblesse, pâleur, manque de tonus sont les signes d'une anémie généralement causée par un manque de fer. Les périodes critiques sont la grossesse ou la période suivant des règles trop abondantes. Les comprimés de fer prescrits par le médecin affectent souvent le système digestif, préférez-leur des méthodes plus douces. Mangez des aliments riches en fer et essayez les préparations à base de fer organique que vous trouverez dans les boutiques diététiques. Ferrum phos peut être pris quotidiennement.

CYSTITE

Ces douleurs cuisantes en urinant, dues à une infection urinaire, sont bien connues de nombreuses femmes. Le jus d'airelles ou le bicarbonate de soude peuvent soulager. Cantharis et Apis sont très efficaces, le premier comme remède général et le second pour atténuer la douleur lorsque s'écoulent les dernières gouttes d'urine.

MAMMITE

Inflammation de la glande mammaire qui survient généralement pendant l'allaitement. Elle est douloureuse mais sans gravité, et l'allaitement ne doit pas être interrompu. L'homéopathie réussit bien dans ce genre d'affections.

CI-DESSUS – *L'équilibre hormonal de la femme est très délicat et vite rompu.*

Phytolacca convient particulièrement bien aux seins congestionnés ou gonflés, avec le bout de sein crevassé et sensible. Si le sein est très rouge et cause des douleurs lancinantes, pensez à Belladona. Pulsatilla est également un bon remède quand le psychisme est perturbé, surtout si vous vous sentez déprimée, avec de fréquentes envies de pleurer.

Ci-dessus — Viande rouge, jaune d'œuf, légumes secs, coquillages et persil sont des aliments riches en fer.

Ci-dessus — Phytolacca est l'un des meilleurs remèdes pour soulager une mammite.

Ci-dessus — L'abeille est la substance de base d'Apis.

43

SYNDROME PRÉMENSTRUEL

La plupart des femmes connaissent des changements d'humeur avant les règles. Mais pour certaines d'entre elles, des symptômes beaucoup plus sévères de dépression, colère, envie de pleurer, apparaissent parfois une semaine ou plus avant le début des règles. Une visite chez le médecin homéopathe est souvent d'un grand secours. Quelques remèdes bien choisis peuvent cependant atténuer les symptômes.

Pulsatilla est un excellent remède si vous pleurez sans raison et si vous vous sentez déprimée. Sepia est conseillé en cas de mauvaise humeur et de grande fatigue, et si vous éprouvez de l'indifférence envers votre famille. Lachesis est efficace si vous ressentez une forte colère, de la jalousie et des soupçons injustifiés.

CI-DESSUS – La méditation est un excellent moyen de se relaxer.

CI-DESSUS – Les changements d'humeur dus au syndrome prémenstruel sont courants. Le remède dépend des symptômes.

DOULEURS MENSTRUELLES

Si les douleurs sont régulières, consultez un homéopathe. Si elles sont occasionnelles vous pouvez les soulager avec plusieurs remèdes. Pulsatilla, Sepia et Lachesis mentionnés plus haut sont recommandés si les symptômes affectifs décrits correspondent et semblent insurmontables.

Si les douleurs s'atténuent avec une source de chaleur et dans la position du fœtus, pensez à Mag phos. Si elles sont très fortes, avec des crampes pénibles, Viburnum opulus est un excellent analgésique.

MÉNOPAUSE ET BOUFFÉES DE CHALEUR

La ménopause est trop souvent considérée aujourd'hui comme une maladie par les médecins, alors qu'elle marque simplement la fin de la période féconde d'une femme. En conséquence, les traitements hormonaux se sont multipliés. En fait, les symptômes liés à une ménopause mal équilibrée sont traités généralement avec succès par l'homéopathie et une alimentation appropriée. Les remèdes les plus utilisés sont à nouveau Pulsatilla, Sepia et Lachesis. Ils sont souvent prescrits en fonction de la personnalité et l'état d'esprit de la patiente, comme indiqué précédemment.

CI-DESSUS – L'écorce séchée de la viorne obier est la substance de base de Viburnum opulus.

CI-DESSUS – Pulsatilla est souvent utilisé par les homéopathes pour la ménopause, avec de très bons résultats. La ménopause n'est pas une maladie et ne doit pas être une épreuve.

RÉACTIONS AFFECTIVES

Nous sous-estimons grandement, à nos dépens, le rôle que jouent nos émotions dans notre santé. Une situation tendue, des rapports affectifs perturbés peuvent provoquer de nombreux troubles, et cela d'autant plus que nous sommes incapables d'exprimer nos sentiments. De même que la joie, le rire et un bon entourage affectif peuvent nous garder en bonne santé, à l'inverse, les pensées négatives, la tristesse, la haine, le chagrin et l'insécurité sont la cause de nombreuses maladies.

CI-DESSUS – En cas de choc affectif et si vous ressentez le besoin d'être consolé, le meilleur remède est Pulsatilla.

BOULEVERSEMENT ÉMOTIONNEL

L'homéopathe entend souvent ce genre de phrase : «Je n'ai jamais surmonté la mort de mon père» ou «Depuis mon divorce, je ne vais pas bien». Pour rester en bonne santé, il est important de ne pas laisser ces états perdurer. L'homéopathie est souvent efficace pour soulager des tensions, qu'elles soient chroniques ou aiguës.

Si vous avez l'impression de ne pouvoir affronter un choc psychique, pensez toujours au remède de secours. Vous pouvez en prendre aussi souvent que nécessaire, en même temps que les remèdes homéopathiques qu'il accompagne.

CHAGRIN

Ignatia est le meilleur remède après un grand chagrin, un deuil. Il calme aussi bien les individus hystériques, à la sensibilité exacerbée que ceux

CI-DESSUS – *Anémone pulsatille, composante de Pulsatilla.*

CI-DESSUS – *Aconitum napellus.*

peut remédier avec Lycopodium. Curieusement, une fois l'accès de panique passé, la personne sait parfaitement affronter la situation.

INSOMNIE

L'insomnie a de nombreuses causes – soucis, mauvaise hygiène de vie, alimentation défectueuse et bien d'autres encore. Si le sujet n'arrête pas de penser, son cerveau ne cessant de fonctionner, Valeriana peut être bénéfique. S'il se réveille à l'aube, surtout s'il mange une nourriture trop riche et vit sur les nerfs, essayez Nux vomica.

qui gardent tout à l'intérieur. Les enfants et les personnes émotionnellement dépendantes seront soulagés par Pulsatilla.

FRAYEUR

Aconitum napellus est le grand remède qui permet de surmonter un choc ou une expérience terrifiante.

APPRÉHENSION D'UN ÉVÉNEMENT

L'appréhension d'un événement, comme se présenter à un examen, monter sur une scène ou rencontrer un inconnu, peut perturber certains individus. Plusieurs remèdes peuvent soulager l'anxiété et l'appréhension.

Gelsemium est conseillé si vous commencez à trembler et si vos jambes se dérobent. Argentum nit est un bon remède général de l'anxiété, surtout si la personne est très agitée. Il convient aussi à l'individu claustrophobique et atténue la peur de l'avion ou du métro. La panique cause souvent de la diarrhée à laquelle on

CI-DESSUS – *Valériane, composante de Valeriana.*

LES REMÈDES – LA *MATIÈRE MÉDICALE*

IL EXISTE ENVIRON 2 000 REMÈDES dans la *Matière médicale* homéopathique, mais la plupart d'entre eux sont du domaine du médecin homéopathe. Cependant, un certain nombre de remèdes peuvent être utilisés sans danger par le profane, dans les situations aiguës ou d'urgence. Les 42 remèdes décrits dans ce chapitre devraient suffire à couvrir la plupart des problèmes courants.

Vous pourrez vérifier votre choix parmi les remèdes homéopathiques recommandés au chapitre précédent. Si ce choix vous semble approprié, vous êtes probablement sur la bonne voie. Dans le cas contraire, envisagez l'un des autres remèdes décrits pour la maladie en question. Tous les symptômes ne sont pas obligatoires. Les homéopathes évoquent le «tabouret à trois pieds» autrement dit, si le remède correspond à trois symptômes de la maladie, il est probablement le bon.

CI-DESSUS – *Fleurs de calendula (souci).*

CONSERVER LES REMÈDES HOMÉOPATHIQUES
Gardez vos remèdes dans un endroit frais et sombre, loin des parfums ou odeurs fortes et hors de portée des enfants. Même si les remèdes homéopathiques ne présentent presque aucun danger, il vaut mieux en éviter l'absorption accidentelle.

PAGE DE DROITE – Substances formant la base de remèdes homéopathiques traditionnels. De gauche à droite : phosphate de magnésium, fleurs de soufre, coquilles d'huîtres broyées, éponge naturelle, potasse naturelle, bichromate de potassium, viorne obier et phosphate de fer.

ACONITUM NAPELLUS
ACONIT

L'aconit ou tue-loup bleu est aussi connue sous l'appellation «capuchon». Cette plante vivace, native des régions montagneuses d'Europe et d'Asie, est très cultivée dans les jardins.

CARACTÉRISTIQUES
• Apparition soudaine et violente des symptômes, souvent la nuit.
• Ils peuvent apparaître après un refroidissement ou une frayeur.
• Ils peuvent s'accompagner de peur ou d'extrême anxiété.
• Principal remède contre les fièvres élevées, avec soif extrême et sueurs.
• Grand remède des toux violentes, sèches, faux croup.
• Plus efficace au début des troubles.

ALLIUM CEPA
OIGNON ROUGE

Le remède vient de l'oignon, dont les caractéristiques sont bien connues. Il concerne les muqueuses du nez, des yeux et de la gorge.

CARACTÉRISTIQUES
• Éternuements, souvent en salves, avec le nez qui coule.
• Le nez et les yeux brûlent et sont irrités.
• L'écoulement nasal est irritant mais les larmoiements doux.
• Principal remède du rhume des foins (quand le nez est plus concerné que les yeux) et des rhumes.

ANTIMONIUM TART
ANTIMONIUM TARTARICUM

Antimonium tartaricum est préparé à partir d'une substance chimique, le tartrate double d'antimoine et de potasse. Il concerne les muqueuses des poumons.

CARACTÉRISTIQUES
• Toux grasse, le souffle est court et sifflant.
• Améliore l'expectoration.

APIS
APIS MELLIFICA

Le remède est préparé à partir de venin d'abeilles. Les effets bien connus de sa piqûre sont représentatifs du remède.

CARACTÉRISTIQUES
• Remède utile pour soulager les piqûres et les morsures, avec gonflement et rougeurs.
• La partie concernée présente un œdème.
• La fièvre apparaît soudainement et sans soif.
• La personne est agitée et irritable.
• Les symptômes sont souvent atténués par l'air frais ou les compresses froides.

ARGENTUM NIT
ARGENTUM NITRICUM

Le nitrate d'argent, substance de base de ce remède, est l'un des dérivés de l'argent utilisés en photographie. Il aide à calmer un système nerveux perturbé.

CARACTÉRISTIQUES
• Peurs diverses, nervosité et anxiété.
• Sensation d'être envahi de soucis, pressé, incompris
• Anxiété d'anticipation, telle que trac, appréhension avant un examen, visite chez le dentiste, voyage en avion et bien d'autres.
• La nervosité peut causer de la diarrhée et des gaz.

ARNICA
ARNICA MONTANA

L'arnica est une plante bien connue aux fleurs jaunes, proches des pâquerettes, et qui pousse dans les régions montagneuses. Elle convient aux tissus mous et aux muscles. C'est le remède idéal des traumatismes. S'il s'agit d'un hématome, sans plaie ouverte, utilisez de la crème à l'arnica. Dans le cas contraire, pensez plutôt à la crème au calendula.

CARACTÉRISTIQUES
• Principal remède des traumatismes divers.
• Choc consécutif à un accident.
• Muscles douloureux, courbatures après un exercice physique prolongé.

ARSENICUM
ARSENICUM ALBUM

L'anhydride arsénieux est un poison bien connu. Cependant, utilisé comme remède homéopathique, il ne présente aucun danger et réussit particulièrement bien sur les systèmes digestif et respiratoire.

CARACTÉRISTIQUES
• Vomissements, diarrhée, crampes abdominales et stomacales.
• Souvent le meilleur remède en cas d'intoxication alimentaire.
• Respiration sifflante, asthmatique, qui empire la nuit. Rhume de cerveau avec écoulement nasal.
• Frilosité, agitation, anxiété et faiblesse accompagnent les autres symptômes.
• La chaleur soulage la plupart des affections.

BELLADONA
ATROPA BELLADONNA

Belladona est préparé à partir de « l'herbe au diable » ou belladone officinale dont il vaut mieux éviter les baies toxiques. On en tire cependant l'un des principaux remèdes contre la fièvre et les maux de tête.

CARACTÉRISTIQUES
• Symptômes violents et intenses, apparaissant soudainement.
• Fièvre, absence de soif, peau sèche, brûlante.
• Visage ou région affectée rouge vif.
• Douleurs avec battements, surtout dans la région de la tête.
• Les pupilles peuvent être dilatées et très sensibles à la lumière.

BRYONIA ALBA
BRYONIA ALBA

Bryonia est préparé à partir de la racine de la bryone blanche, plante grimpante des haies d'Europe. Les racines sont très grosses et emmagasinent une grande quantité d'eau. Les personnes utilisant Bryonia alba semblent souffrir d'apathie.

CARACTÉRISTIQUES
• Les symptômes ont tendance à se développer lentement.
• Sécheresse de toutes les muqueuses, douleurs articulaires.
• Soif extrême.
• Condition aggravée par le mouvement, améliorée par une pression ferme.
• Toux sèche et très douloureuse.
• La personne est irritable.

CALENDULA
CALENDULA OFFICINALIS

Le calendula, connu depuis long-temps des herboristes, est un excellent remède pour soigner les plaies. Préparé à partir du souci des jardins, la meilleure façon de l'utiliser est la crème ou la teinture-mère. Vous pouvez employer cette crème sur toutes les plaies coupées et infectées. (Pour les ecchymoses où la peau n'est pas entamée, pensez à la crème à l'arnica).

L'antiseptique homéopathique par excellence, Calendula empêche les blessures de s'infecter, tout en accélérant le processus de régénération.

IPECA
CEPHAELIS IPECACUANHA

L'ipecacuanha est un petit arbuste d'Amérique du Sud. Le remède agit surtout sur les systèmes digestif et respiratoire, le principal symptôme étant les nausées, quelle que soit l'affection.

CARACTÉRISTIQUES
• Nausées constantes, vomissements qui n'apportent aucun soulagement.
• Toux accompagnée de nausées.
• Nausées matinales de la grossesse.
• Asthme ou respiration sifflante accompagné de nausées.
• Migraines nauséeuses.

COCCULUS
COCCULUS INDICUS

Le remède est préparé à partir de la coque du Levant *(Cocculus orbiculatus),* plante qui pousse sur les côtes de l'Inde. Il agit puissamment sur le système nerveux et peut le renforcer s'il est affaibli ou épuisé. Comme il soulage également les nausées et les vertiges, c'est l'un des principaux remèdes du mal des transports (bateau, avion ou voiture).

CARACTÉRISTIQUES
• Nausées, vomissements et vertiges associés au mal des transports.
• Épuisement et stress nerveux, parfois dus au manque de sommeil.

DROSERA
DROSERA ROTUNDIFOLIA

Drosera est un remède préparé à partir d'une curieuse plante insectivore, la droséra ou rossolis à feuilles rondes ou encore «rosée du soleil». Drosera traite les affections du système respiratoire, c'est le remède de la toux.

CARACTÉRISTIQUES
• Toux caverneuse, aboyante.
• Toux prolongée, spasmodique et incessante.
• La toux est parfois si forte qu'elle se termine par des haut-le-cœur ou des vomissements.

EUPATORIUM
EUPATORIUM PERFOLIATUM

L'eupatoire ou «herbe à la fièvre» est une plante originaire d'Amérique du Nord qui pousse dans les marais. Quels que soient les symptômes, les os sont généralement douloureux. Très utilisé comme remède de la grippe.

CARACTÉRISTIQUES
• Symptômes d'états grippaux, courbatures généralisées, sensation d'avoir les os brisés.
• On peut noter une toux pénible, parfois accompagnée de nausées.

EUPHRASIA
EUPHRASIA OFFICINALIS

L'euphrasie officinale, nommée aussi «casse-lunettes», est depuis longtemps connue comme remède des yeux. C'est une jolie petite plante des pâturages, aux fleurs colorées qui ne s'ouvrent qu'en plein soleil.

CARACTÉRISTIQUES
• Yeux irrités, rouges et enflammés.
• Larmoiements abondants, irritants. Les yeux pleurent sans cesse.
• En cas de rhume des foins, les symptômes comportent des éternuements, démangeaisons et écoulement nasal abondant mais les yeux sont les plus affectés.

FERRUM PHOS
FERRUM PHOSPHORICUM

Le phosphate ferreux, substance de base de *Ferrum phosphoricum,* est un minéral qui régit le fer et l'oxygène du sang. Il peut être utilisé comme tonique chez les personnes affaiblies et anémiques.

CARACTÉRISTIQUES
• Symptômes mal définis de la grippe et de refroidissement.
• Faiblesse et fatigabilité.
• Anémie en général ; le remède peut être très utile pour les femmes aux règles abondantes ou pendant la grossesse.

GELSEMIUM
GELSEMIUM SEMPERVIRENS

Le remède est préparé à partir d'une plante d'Amérique du Nord appelée jasmin jaune ou jasmin de Virginie. Il agit sur les muscles, les nerfs moteurs et le système nerveux et c'est probablement le remède le plus efficace contre la grippe.

CARACTÉRISTIQUES
• Muscles douloureux, lourds, qui n'obéissent pas à la volonté.
• Fatigue, faiblesse, frissons et tremblements.
• Fièvre avec sueurs mais absence de soif.
• Mal de tête dans la région de l'occiput.
• Appréhension, les muscles tremblent à la pensée d'une épreuve.

HEPAR SULFUR
HEPAR SULFURIS CALCAREUM

Préparation d'Hahnemann à base de fleurs de soufre *(Sulfur)* et de coquilles d'huîtres broyées *(Calcarea carbonica).* Elle concerne le système nerveux et les problèmes respiratoires ainsi que les infections de la peau et des muqueuses.

CARACTÉRISTIQUES
• Irritabilité et sensibilité extrêmes.
• Coups de froid.
• Toux sèche, rauque avec expectoration de mucus jaune, faux croup.
• Abcès et furoncles qui contiennent beaucoup de pus et guérissent lentement.
• Transpiration importante.

HYPERICUM
HYPERICUM PERFORATUM

Préparé à partir du millepertuis, Hypericum est surtout le remède des blessures, en particulier pour les régions richement innervées : doigts, orteils, lèvres, oreilles, yeux et coccyx, à la base de la colonne vertébrale. Remplacez Arnica par Hypericum pour ces régions sensibles, bien qu'Arnica soit également efficace.

CARACTÉRISTIQUE
La douleur monte souvent le long des membres, sur le trajet des nerfs.

IGNATIA
IGNATIA AMARA

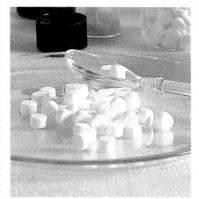

Ignatia est préparé à partir de la fève de Saint-Ignace, la graine de strychnos ignatii, arbre voisin du vomiquier, qui pousse en Asie du Sud-Est. C'est le remède par excellence qui soulage chagrin et émotions.

CARACTÉRISTIQUES
• Tristesse et chagrin suivant une perte affective.
• Humeurs changeantes, larmes suivant le rire, ou hystérie.
• Chagrin silencieux, rentré, quand les larmes ne coulent pas.
• Besoin d'être apaisé après une période d'anxiété, de peur ou de chagrin.

KALI BICH
KALI BICHROMICUM

Le bichromate de potassium, substance de base de *Kali bichromicum*, est un composé chimique utilisé dans de nombreuses industries (teinture, imprimerie, photographie). Ce remède concerne essentiellement les muqueuses respiratoires et c'est l'un des principaux traitements de la sinusite.

CARACTÉRISTIQUES
• Sécrétions jaunâtres, filantes, adhérentes (nez, gorge, estomac, intestin).
• Maux de tête localisés en de petits endroits, douleurs erratiques.
• Toux sèche avec sécrétion de mucus verdâtre et collant.

LACHESIS
LACHESIS MUTUS

Lachesis est préparé à partir du venin du *Lachesis mutus,* un serpent d'Amérique du Sud. En général, c'est un remède des maladies chroniques qu'il vaut mieux laisser au médecin homéopathe, mais il peut être utilisé ponctuellement pour les angines et les troubles féminins.

CARACTÉRISTIQUES
• Angines, surtout du côté gauche.
• Gorge douloureuse, quand les liquides sont plus difficiles à avaler que les solides.
• Douleurs menstruelles et tension, amélioration avec la venue des règles.
• Bouffées de chaleur au moment de la ménopause.

LEDUM
LEDUM PALUSTRE

Ledum est préparé à partir d'un petit arbuste appelé «lédon des marais» et qui pousse un peu partout dans l'hémisphère Nord. C'est avant tout le remède d'urgence des blessures, que soulage le froid plutôt que la chaleur.

CARACTÉRISTIQUES
• Blessures par instruments piquants, insectes ou échardes, améliorées par un bain dans de l'eau froide.
• Plaies gonflées et froides.
• Ecchymoses spécialement autour des yeux, «œil au beurre noir».
• Œil injecté de sang.

LYCOPODIUM
LYCOPODIUM CLAVATUM

Ce remède est préparé à partir des spores du pied-de-loup ou lycopode en massue, curieuse plante rampante qui aime les landes de bruyère. Surtout prescrit pour les maladies chroniques, il peut cependant être très utile pour les problèmes digestifs et les angines douloureuses.

CARACTÉRISTIQUES
• Symptômes plus accentués sur le côté droit ou qui se déplacent de la droite à la gauche du corps.
• Ballonnements et douleurs dans l'abdomen ou l'estomac.
• Problèmes aggravés par les aliments qui fermentent (haricots secs).
• La personne peut ressentir un désir de sucreries.

CANTHARIS
LYTTA VESICATORIA

Cantharis est l'un des quelques remèdes homéopathiques préparés à partir des insectes. Il est dérivé d'une mouche de la famille des coléoptères, la cantharide ou «mouche d'Espagne» ou «de Milan». Son contact est irritant. Cantharis traite le système urinaire.

CARACTÉRISTIQUES
• Cystite avec douleurs intenses et brûlantes en urinant.
• Brûlures ou douleurs cuisantes en général, telles que coups de soleil ou brûlures par contact avec un objet brûlant.

MAG PHOS
MAGNESIA PHOSPHORICA

Le phosphate de magnésium, l'un des douze sels minéraux contenus dans les tissus, est également un remède qui agit directement pour relâcher les nerfs et les muscles. C'est donc un excellent antalgique.

CARACTÉRISTIQUES
• Crampes violentes, spasmodiques, souvent dans la région abdominale.
• Douleurs améliorées par la chaleur, un massage léger ou en se pliant en deux.
• Peut atténuer les coliques, les douleurs menstruelles, la sciatique, les maux de dents et d'oreilles.

CHAMOMILLA
MATRICARIA CHAMOMILLA

La camomille, qui fait partie des marguerites, pousse à l'état sauvage dans toute l'Europe et l'Amérique du Nord. Elle a une forte influence sur le système nerveux. Le remède est considéré comme l'un des plus importants pour le traitement des enfants. Aconitum napellus, Belladona et Chamomilla sont associés sous le nom d'ABC.

CARACTÉRISTIQUES
• Irritabilité, colère.
• Problèmes de dentition chez les enfants coléreux.
• Dans le cas de coliques, avec diarrhée jaune-vert.
• Extrême sensibilité à la douleur.
• L'enfant ne supporte pas qu'on le regarde ou qu'on lui parle mais se calme si on le berce ou le porte.

MERCURIUS
MERCURIUS SOLUBILIS

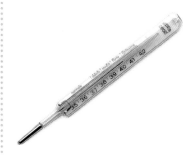

Préparé à partir du mercure liquide. Il est utilisé pour les états infectieux aigus, les plaies suppurantes, lorsque les ganglions sont particulièrement touchés.

CARACTÉRISTIQUES
• Ganglions enflés et douloureux.
• Sueurs diffuses et soif intense.
• Haleine, sueurs et sécrétions fétides.
• La langue est molle, jaune et chargée.
• Fièvre avec frissons à fleur de peau.
• Irritabilité et agitation.

PHOSPHORUS
PHOSPHORUS

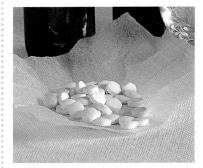

Le phosphore est un constituant important du corps, en particulier des os. Il est généralement employé lors de désordres constitutionnels mais peut être efficace pour certains problèmes aigus, dont les troubles digestifs, avec vomissements dès que les aliments se sont réchauffés dans l'estomac, et une diarrhée constante. Phosphorus est également efficace contre les hémorragies mineures, comme les saignements de nez. Il est très utile pour atténuer la sensation de vertige après anesthésie.

CARACTÉRISTIQUE
Convient aux individus sociables et aimables, passionnés mais également nerveux et anxieux.

PHYTOLACCA
PHYTOLACCA DECANDRA

La phytolaque est une plante qui pousse dans l'hémisphère Nord. C'est un remède glandulaire qui agit particulièrement sur les amygdales et la glande mammaire. Phytolacca est probablement le principal traitement de la mammite.

CARACTÉRISTIQUES
• Gorge rouge sombre avec amygdales enflées.
• Angines avec douleurs brûlantes de la gorge irradiées aux oreilles.
• Seins tendus, douloureux avec nodosités dures et douloureuses, et crevasses sur les tétons.

PULSATILLA
PULSATILLA PRATENSIS

Pulsatilla est l'un des remèdes les plus utiles pour les situations aiguës, mais il est également très important lors de désordres constitutionnels. Il est tiré de l'anémone pulsatille, aussi nommée «fleur de Pâques» ou «herbe au vent». Il convient aux individus dont l'humeur et les symptômes changent constamment. En cela, c'est un merveilleux remède pour les jeunes enfants.

CARACTÉRISTIQUES
• Sujet émotif, pleurant facilement.
• Individus aimables, sociables, de nature compatissante.
• Écoulement d'un pus jaune-vert, du nez ou des yeux.
• Les symptômes sont soulagés par le grand air.

RHUS TOX
RHUS TOXICODENDRON

Le remède est préparé à partir du sumac vénéneux, plante originaire d'Amérique du Nord. Il est surtout utilisé pour les entorses, tendinites et articulations douloureuses, mais la nature de la plante qui provoque des démangeaisons brûlantes en fait aussi le remède de la varicelle ou du zona. Il peut aussi être utile pour soulager les rhumatismes aigus.

CARACTÉRISTIQUES
• Extrême agitation avec irritation de la peau, rougeurs et démangeaisons.
• Raideur des articulations, améliorée par le mouvement continu.
• Les symptômes s'atténuent avec la chaleur et empirent avec le froid, l'humidité et les exercices physiques.

RUTA
RUTA GRAVEOLENS

Ruta ou la rue fétide est un très ancien remède. Il agit particulièrement sur les articulations, tendons, cartilages et périoste (membrane qui recouvre les os). Il concerne aussi les yeux.

CARACTÉRISTIQUES
• Douleurs osseuses.
• Traumatismes des ligaments et des tendons, concernant plus particulièrement les chevilles et les poignets.
• Les symptômes empirent avec le froid et l'humidité et s'atténuent avec la chaleur.
• Fatigue des muscles oculaires, vision trouble due à un travail prolongé.

SEPIA
SEPIA OFFICINALIS

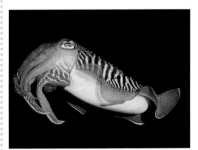

Sepia est un remède préparé à partir de l'encre de seiche. Parce qu'il correspond à de nombreuses affections, il vaut mieux le réserver au médecin homéopathe. Cependant, il peut être utile pour certains problèmes menstruels de la femme.

CARACTÉRISTIQUES
• Convient aux sujets fatigués, déprimés, présentant une aversion pour la compagnie.
• Nausées matinales pendant la grossesse, aggravées par l'odeur de la nourriture.
• Bouffées de chaleur à la ménopause.
• Symptômes psychiques et émotionnels atténués par l'exercice.

SILICEA
SILICEA

La silice est un minéral dont il existe plusieurs variétés naturelles. C'est l'un des douze sels minéraux contenus dans les tissus et sa présence dans le corps aide à éliminer les toxines. Dans le cas de plaies suppurantes, Silicea peut être utilisé pour renforcer les défenses naturelles de l'organisme contre l'infection. Il aide également à expulser les corps étrangers, comme les échardes. Silicea peut aussi faire mûrir les abcès chroniques et aider le corps à neutraliser le pus.

CARACTÉRISTIQUES
• Correspond aux symptômes qui sont longs à disparaître ou pour les sujets frileux, qui manquent d'énergie et de vitalité.
• Infections légères, plaies qui se mettent à suppurer, sans guérir.

SPONGIA
SPONGIA TOSTA

Spongia, comme son nom l'indique, est un remède préparé à partir de l'éponge naturelle torréfiée. Il est très efficace contre les troubles respiratoires et c'est l'un des grands remèdes homéopathiques de la toux et du faux croup chez les enfants.

CARACTÉRISTIQUES
• Toux sèche, spasmodique.
• Toux sifflante.

NUX VOMICA
STRYCHNOS NUX VOMICA

Nux vomica est préparé à partir des graines toxiques du vomiquier, récoltées dans la région indo-malaise. Le remède permet de nombreux usages dans les situations chroniques ou aiguës. Il est particulièrement utile lors de troubles digestifs.

CARACTÉRISTIQUES
• Nausées ou vomissements après un repas trop riche, quand les aliments paraissent être «coincés» dans l'estomac.
• Le sujet a l'impression que tout irait mieux s'il pouvait vomir.
• Constipation avec faux besoins.
• Brûlures d'estomac avec aigreurs.
• Migraines digestives.

SYMPHYTUM
SYMPHYTUM OFFICINALE

Le remède est préparé à partir d'une plante sauvage très courante, la consoude. Il est particulièrement indiqué dans le cas de traumatisme des os avec retard à la consolidation des fractures. Prenez le remède quotidiennement pendant plusieurs semaines, après que la fracture a été soignée. Symphytum est également utile lors de traumatismes des globes oculaires (balle de tennis reçue dans l'œil par exemple).

CARACTÉRISTIQUES
• Accélère la consolidation des fractures.
• Traumatisme des globes oculaires.

VALERIANA
VALERIANA OFFICINALIS

La valériane est une herbe bien connue dont l'usage excessif au XIXᵉ siècle fut la cause de nombreuses insomnies et surmenages du système nerveux allant jusqu'à l'hystérie. Selon le principe «les semblables sont guéris par les semblables», des doses infimes, comme celles utilisées en homéopathie, peuvent guérir ces problèmes. Valeriana est l'un des principaux remèdes de l'insomnie. Prenez trois granules une heure avant le coucher.

CARACTÉRISTIQUE
Particulièrement utile quand l'esprit ne cesse de «tourner en rond».

VERBASCUM
VERBASCUM THAPSUS

Verbascum est préparé à partir du bouillon-blanc, herbe commune de nos chemins. Il est utile contre les maux d'oreilles, sous forme de solution huileuse. Le remède est particulièrement conseillé pour les enfants, plus souvent concernés par les otites que les adultes. Mettez quelques gouttes de solution huileuse dans une cuiller à café chauffée et versez-les dans l'oreille, l'enfant étant couché sur le côté.

CARACTÉRISTIQUE
Maux d'oreilles de toutes sortes, chez les enfants et les adultes.

VIBURNUM OPULUS
VIBURNUM OPULUS

La viorne obier ou «boule de neige», ou encore «rose de Gueldre» est très répandue dans les sous-bois et les lieux frais d'Europe du Nord et des États-Unis. Le remède homéopathique, tiré de l'écorce de la viorne, peut être très utile dans le cas de règles douloureuses et de crampes spasmodiques.

CARACTÉRISTIQUE
En cas de crampes sévères et de spasmes des muscles.

REMÈDE DE SECOURS

Bien qu'il ne soit pas strictement un remède homéopathique mais un composé de cinq élixirs floraux, préparés selon la méthode du Dr Bach, le remède de secours est si remarquable qu'il serait difficile de vous en passer. On le trouve généralement sous forme de teinture, mais il existe aussi en crème (boutiques diététiques). En cas de crise ou de choc, mental, émotionnel ou physique, mettez quelques gouttes sur la langue, en renouvelant aussi souvent que nécessaire. Ce remède peut être utilisé sans danger en même temps que les remèdes homéopathiques ou avec d'autres traitements ou médicaments.

INDEX

CRÉDITS PHOTOGRAPHIQUES
Les éditeurs remercient les photographes et les agences de photographies qui suivent pour leur avoir permis de reproduire leurs photographies dans ce livre :
A-Z Botanicals : p. 21 hg/hd, p. 35 d, p. 41 bm, p. 57 m, p. 60 d.
Heather Angel : p. 57 hg, p. 60 d, p. 61 hd. **Bruce Coleman** : p. 43 bg, p. 57 d, p. 62 m. **Mary Evans** : p. 6.
Garden & Wildlife Matters : p. 21 mg/md/b, p. 31 bd, p. 32 bd, p. 47 bd, p. 51 g, p. 52 m, p. 55 m, p. 62 d, p. 63 g/m. **Lucy Mason** : p. 47 hm, p. 50 g. **Papilio Photographic** : p. 54 g/d.
Harry Smith : p. 43 bd, p. 45 d, p. 47 hg, p. 52 d, p. 59 m/d.
Warren Photographic : p. 37 bd. **John Freeman** pour toutes les autres photographies.

h = haut ; m = milieu ; b = bas,
g = gauche, d = droite